ex
Libris

Nom _____

Adresse _____

_____

Téléphone _____

Cet agenda a débuté à : _____

Le : _____

À Florence,
Titouan
& Gérard.

© Éditions ÉQUINOXE, 2001
Domaine de Fontgisclar
Draille de Magne
13570 Barbentane

ISBN n° 2.84135.226.9
Mise en page : Étienne Marie

Mon
Agenda
aux Quatre Saisons

de l'an

Illustré par
Michèle Delsaute

ÉQUIN•XE

L'HIVER EST MORT TOUT ENNEIGÉ

ON A BRÛLÉ LES RUCHES BLANCHES

DANS LES JARDINS ET LES VERGERS

LES OISEAUX CHANTENT SUR LES BRANCHES

LE PRINTEMPS CLAIR L'AVRIL LÉGER...

Apollinaire

Printemps

20 MARS
20 JUIN

Chaque année, on le guette, on l'attend, et un matin, on s'aperçoit devant un tapis de primevères et de jonquilles, qu'il s'est déjà installé :

Le 25 mars, les gardians posent une gerbe de saladelle sur la tombe de Frédéric Mistral à Maillane.

Dans les Alpilles, on taille les oliviers "en couronne" ce qui facilitera la cueillette de l'olive cet hiver.

C'est le temps des semailles de Colza et de tournesol.

Les vols des macareux partis en migration rejoignent les falaises bretonnes tandis que les cigognes regagnent l'Alsace.

Il est temps de semer les fleurs annuelles : capucines, marguerites, soucis, zinnias.

En Savoie, dès le mois d'aavril, au lever du jour, vous entendrez les premiers chants du rossignol.

Fixez les nichoirs dans les arbres car voici le retour de la bergeronnette, du rouge-queue, de l'hirondelle et du coucou.

Recueillez les fleurs de tussilages et de primevères, à faire sécher pour les tisanes hivernales.

En mai, les marmottes se réveillent dans nos montagnes. Les vaches parées de leurs plus belles clarines sortent éblouies de leurs étables pour regagner l'alpage.

Ne passez pas par Saint-Remy-de-Provence sans admirer les superbes iris qui ont inspiré Vincent Van Gogh.

Dans le Luberon, succédant aux délicieuses garriguettes, les cerisiers ploient sous le poids des branches chargées de fruits brillants.

À Manosque, le Mont d'Or n'a jamais porté si bien son nom qu'en cette saison. Toute la colline est couverte de genêts en fleurs ! Avec un peu de chance, vous y verrez l'éphémère floraison des oliviers.

En Arles, fête des gardians avec le défilé folklorique, cérémonie religieuse et spectacle dans les arènes.

Grand pélerinage des gitans aux Saintes-Maries-de-la-Mer.

Et si vous faites un détour par Saint-Tropez, allez assister à la Bravade au milieu des salves qui commémorent le saint de la ville dont le buste est promené dans toutes les petites ruelles.

Quel bonheur de profiter des journées les plus longues de l'année et d'écouter les derniers chants des oiseaux s'éteindre à la nuit tombante.

Les taches claires
des primevères
émergent des tapis
de feuilles mortes

Michèle Delsaute

St Herbert   Équinoxe de Printemps

20 Enquète sur les plantes
magique

* 'Magic' plants have been with us from
Ste Clémence dark ages.

21 * Always with us asking questions
how different from other plants?
mostimp, what use are they to us?
* What is their ågen
* it's a vast subject, full of shadowy areas, the unknown, mystery
Ste Léa   & contradictions.

22 * Enquiry based on written record, witnesses, discussions
with experts + lab. evidence despite these things we
considered very logic + reason.
                                                    not able to
Light may not be shed or what because the subject is complex
St Victorien   there is a poss. of uncovering a scientific explanation.

23 * If we discover that plants always safeguard their magic we shall
at least have satisfaction to know & appreciate what they
bring to everyone.

Definition of magic : effects contrary to the laws of nature	Term includes beliefs, superstitions,
Ste Catherine de Suède White magic by invoking good angels.	practices, trust,
black " " demons	or lack of it,
24 Enquiry limited to West. each ethnic group develops	according to various
its own beliefs.	countries.
Many diff. views Diverse interpretation of 'magic'	

On the one hand = health, riches love.
St Humbert   on the other = ill health + death.

25 we sense sorcerer/witch can have both parts.
means of producing magic

Les macareux moines
revenus de migration
se posent sur les
falaises des côtes
atlantiques.

Ste Larissa
26

Mars

St Habib
27

St Gontran
28

Ste Gwladys
29

St Amédée
30

St Benjamin
31

En montagne,
hépatiques et pétasites égayent
les sous-bois humides.

Michèle Delsaute

St Hugues

1

Ste Sandrine

2

St Richard

3

St Isidore

4

St Irène

5

St Marcellin

6

À Saint-Remy-de-
Provence, les iris
émaillent de taches
bleues l'ombre mou-
vante des oliviers :
quelle quiétude dans
ce paysage magique.

St Jean-Baptiste de la Salle

7

Avril

Ste Julie. Annonciation

8

St Gautier

9

St Fulbert

10

« L'iris dort, roulé
en cornet sous
une triple soie
verdâtre. »

Colette

St Stanislas

11

St Jules

12

« *Le printemps est revenu de ses lointains voyages,*
Il nous apporte la paix du cœur. »

Milosz

Primevères et myosotis
se disputent la
fraîcheur du ruisseau.

Michèle Delsaute

Ste Ida

13

St Maxime

14

St Paterne

15

St Benoit-Joseph

16

St Anicet

17

St Parfait

18

Avril

« Je cherche à me rappeler
ce qu'il y avait là-bas, mais
en mettant un peu de moi.
J'interprète avec mon cœur
autant qu'avec mon œil. »

Camille Corot

Dans un champs
près de Serre,
entre sainfoins,
sauge des prés
et jarosse, j'ai
retrouvé le vrai
bleuet devenu
si rare !

Michèle Delsaute

Ste Emma
19

Avril

Ste Odette
20

St Anselme
21

St Alexandre
22

St Georges
23

St Fidèle
24

Dans les terriers de lapins,
il y a eu des naissances :
première sortie...

Michèle Delsaute

St Marc
25

Avril

St Alida
26

Ste Zita
27

Ste Valérie
28

« *Le dessin,
c'est la sensation.* »

Pierre Bonnard

Ste Catherine de Sienne
29

St Robert
30

« Ne cherche pas le muguet encore ;
entre deux valves de feuilles,
allongées en coquilles de moules, mysté-
rieusement s'arrondissent ses perles
d'un orient vert,
d'où coulera l'odeur souveraine. »

Colette

Chaque année, le brin de
muguet me rappelle le jardin de mon enfance.

Mai

Fête du travail
1

St Boris & St Athanase
2

Sts Philippe & Jacques
3

St Sylvain
4

Ste Judith
5

Ste Prudence
6

Ce week-end, nous
avons découvert
au coucher du soleil
les herbes rares du
Prieuré de Salagon :
moment sublime
dans un lieu mystique.

Michèle Dulsante

Mai au
Prieuré de
Salagon.

Ste Gisèle
7

Fête de la Victoire 1945
8

St Pacôme
9

*« Voir, c'est concevoir.
Et concevoir,
c'est composer. »*

Paul Cézanne

Ste Solange
10

Ste Estelle
11

St Achille
12

Ce matin,
les premiers
iris se sont
ouverts, fragiles
et somptueux,
dans notre jardin
de Chamonix.

Ste Rolande

13

St Matthias

14

Ste Denise

15

Mai

*«Chaque fleur
est une âme
à la Nature
éclose.»*

Gérard de Nerval

St Honoré

16

St Pascal

17

St Éric

18

Au-dessus du
Lavandou,
le Massif
des Maures
se couvre
d'une multitude
de fleurs,
mélange subtil
d'herbes odorifé-
rantes et d'air marin !

St Yves
19

Mai

St Bernardin
20

St Constantin
21

St Émile
22

« *La beauté
est un mystère.* »

Edgar Degas

St Didier
23

St Donatien
24

« *L'anémone des cieux*
Fleurit sur mes parterres
Fleurit encore aux yeux
À l'ombre des paupières. »

Robert Desnos

Du col des Montets,
face au Dru et à l'Aiguille Verte,
j'ai ramené cet après-midi les
premières anémones
souffrées et une gentiane
de Koch.

Ste Sophie
25

St Béranger & St Philippe Néri
26

St Augustin
27

St Germain
28

St Aymard
29

St Ferdinand
30

La sentinelle siffle
dans l'alpage pour
prévenir la colonie
de marmottes de
notre arrivée !

Visitation

31

St Justin

1

Ste Blandine

2

St Kévin

3

Ste Clotilde

4

« *L'*art est comme la prière,
une main tendue dans l'obscurité,
qui veut saisir une part de grâce pour
se muer en une main qui donne. »

Franz Kafka

St Igor

5

« *L'art, en donnant du prix aux sensations, offre aux hommes leur seule chance de réaliser la vie.* »

Pierre Drieu La Rochelle

Je ne peux
résister au plaisir
de peindre encore
cette fois "le bleu" de cette gentiane :
un défi de la nature.

Michèle Delsaute

1999.

St Norbert

6

Juin

St Gilbert

7

St Médard

8

Ste Diane

9

St Landry

10

St Barnabé

11

Avez-vous déjà observé
le détail
de chaque
clochette
de digitale pourpre ?
Une vraie aquarelle en sous-bois.

St Guy

12

Juin

St Antoine de Padoue

13

St Élisée

14

Ste Germaine

15

St J-F. Régis

16

St Hervé

17

« J'avouerai de bonne foi que j'aime beaucoup mieux
ce qui me touche que ce qui me surprend. »

F. Couperin

Michèle Delsaute

Ste Léonce
18

Juin

St Romuald
19

St Silvère
20

« Ô soleil, toi sans qui les choses
Ne seraient ce qu'elles sont. »

Edmond Rostand

SENSATION

Par les soirs bleus d'été, j'irai dans les sentiers,
Picoté par les blés, fouler l'herbe menue :
Rêveur, j'en sentirai la fraîcheur à mes pieds.
Je laisserai le vent baigner ma tête nue.

Je ne parlerai pas, je ne penserai rien :
Mais l'amour infini me montera dans l'âme,
J'irai loin, bien loin, comme un bohémien,
Par la nature, — heureux comme avec une femme.

Arthur Rimbaud

Été

21 JUIN
22 SEPTEMBRE

Juin : avec les grandes chaleurs de l'été vont "renaître" les cigales. Les larves sortent après plusieurs années de vie souterraine et connaissent la magie de leur métamorphose agrippées à une herbe ou à une branche de pin parasol !

Saint-Remy-de-Provence, lundi de Pentecôte : une des plus belles fêtes de la tradition provençale, la Fête de la Transhumance, avec ses 3000 bêtes qui traversent la ville comme une rivière…

À Cassis, Martigues, Port-de-Bouc, Marseille, fête des Pêcheurs.

À Maussane-les-Alpilles, la route du tissu transforme le centre-ville en un vaste musée où revivent costumes anciens, attelages et marchés du temps jadis.

Le Festival d'Avignon apporte un nouveau souffle d'Imaginaire, de Mystère et de Créativité dans le sillon de Jean Villard et de son prince mystique Gérard Philipe.

En juillet, la Provence se pare de ses plus somptueuses couleurs : les champs de Tournesols déroulent jusqu'à l'horizon leur géométrie lumineuse et les lavandes enivrent les chaudes soirées d'été de leur parfum. Ne manquez pas de traverser les bleus infinis du plateau de Valensole entre le 1er et le 15 juillet, c'est fabuleux ! Ramenez quelques flacons d'escence de lavande et de miel de garrigue !

À Manosque, l'Association des Amis de Jean Giono organise chaque année des journées consacrées au grand écrivain (Colline, Regain, Que ma joie demeure, etc.). Films, débats, expositions et un accueil chaleureux vous y attendent.

À Sablet, au pied des dentelles de Montmirail, les amateurs de lecture se retrouveront aux « Journées du Livre » dans un cadre convivial.

Aix-en-Provence organise chaque année son Festival Musical d'Art Lyrique et de Danse Classique qui vous assureront quelques soirées inoubliables dans la Cour de l'Archevêché.

À Orange, les Chorégies vous attendent dans le cadre grandiose du Théâtre Antique.

Tout le mois de juillet, Aubagne s'anime d'une foire de poteries et de santons alors que thonades et sardinades se succèdent sur toute la côte.

Dans les Alpes et dans les Pyrénées, la montagne s'est transformée en un vrai jardin alpin. C'est la saison de l'arnica, des camomilles, des joubarbes, des anémones, des gentianes et des rhododendrons, du lys Martagon, des campanules, puis, en fin d'été, des framboises et des myrtilles. Qui n'a rêvé de ranger les pots de confitures sur les étagères d'une vieille armoire en noyer ?

Le 15 août, à Chamonix, la fête des Guides réunit tous les membres de la compagnie pour la bénédiction des cordes et des piolets devant l'église Saint-Michel et la Maison de la Montagne. La saison de l'alpinisme bat son plein dans la capitale de l'escalade.

Sur la côte atlantique, processions et bénédictions de la mer en présence des familles de marins et des générations de pêcheurs, marquent la Sainte-Marie.

Dans le calme des belles journées ensoleillées de septembre, vous participerez peut-être à la fête de l'olive à Mouriès, à celle des Prémices du Riz en Arles ou à la fête Mistralienne à Aix-en-Provence.

Dans le décor naïf des potagers, les asters, les dalhias, font bon ménage avec les gros potirons et les rangées de choux.

Cueillez en montagnes quelques carlines tellement décoratives et faites les sécher pour l'hiver. Lorsque l'air se charge d'humidité, les pétales argentés de ce chardon se refermeront d'eux-même et s'ouvriront à nouveau par temps sec. On les nomme pour cette raison « baromètres ».

Heureux sont ceux qui peuvent partir sillonner les routes de campagne à cette époque où la nature retrouve un apaisement dans les belles lumières d'arrière-saison.

La variété infinie des
formes et des couleurs
des alpages.

Mireille Dubante
1995

St Rodolphe. Solstice d'Été. Fête de la Musique

21

St Alban

22

Ste Audrey

23

St Jean-Baptiste

24

St Prosper

25

St Anthelme

26

« Il n'est rien de parfait et de
simple – de limité, d'harmonieux –
comme un tableau accompli.
On dirait une pensée. »

Jean Paulhan

Au pied de la montagne Sainte-Victoire, la terre rouge était percée ce matin de nombreux petits trous : après quatre années de vie souterraine, les cigales écloses de leurs chrysalides se faisaient sècher les ailes sur les branches basses des oliviers et des pins.

Michèle Delsaute

St Fernand

27

St Irénée

28

Sts Pierre & Paul

29

St Martial

30

« *L*'été, c'est la saison du feu
C'est l'air tiède et la fraîche aurore. »

Victor Hugo

St Thierry

1

St Martinien

2

« *La modestie*
n'est qu'une sorte
de pudeur de l'orgeuil. »

Marcel Jouhandeau

Si vous aimez
découvrir les fleurs
de nos montagnes,
c'est le moment de
parcourir les sentiers
de randonnée de nos alpes.

St Thomas

3

St Florent

4

St Antoine-Marie

5

Ste Mariette

6

St Raoul

7

St Thibaut

8

CROQUIS

...SIN

"L'été en Provence"

Carnet de Voyage, juillet; même la terre est

Le plateau de Valensole, d'Albion, la Montagne de Lure... une grande émotion bleue...

Ste Amandine

9

St Ulrich

10

St Benoît

11

St Olivier

12

Sts Henri & Joël

13

Fête Nationale

14

*« Peindre n'est pas prendre
sur la palette des couleurs
variées, mais les faire naître
de rien sur la toile complice. »*

André Lhote

... la Durance comme une branche de figuier... le délice des Journées Jean Giono à "Manosque des plateaux".

St Donald & St Bonaventure

15

N-D du Mont Carmel

16

Ste Charlotte

17

« *Dans les lettres, comme en tout, le talent est un titre de responsabilité.* »

Charles de Gaulle

St Frédéric

18

St Arsène

19

Ste Marina

20

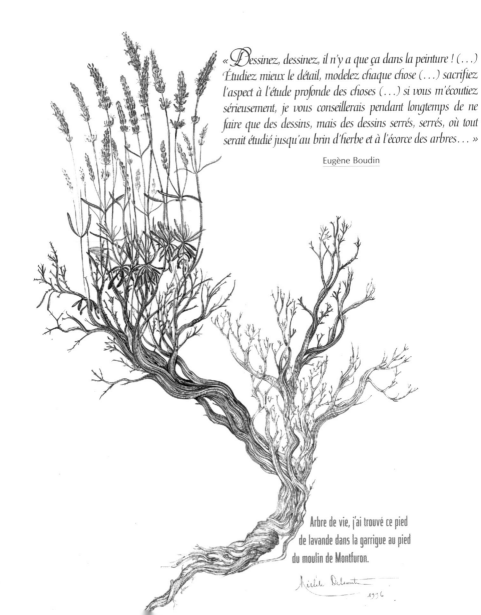

« *Dessinez, dessinez, il n'y a que ça dans la peinture !* (…)
Étudiez mieux le détail, modelez chaque chose (…) *sacrifiez*
l'aspect à l'étude profonde des choses (…) *si vous m'écoutiez*
sérieusement, je vous conseillerais pendant longtemps de ne
faire que des dessins, mais des dessins serrés, serrés, où tout
serait étudié jusqu'au brin d'herbe et à l'écorce des arbres… »

Eugène Boudin

Arbre de vie, j'ai trouvé ce pied
de lavande dans la garrigue au pied
du moulin de Montfuron.

Michèle Delsaute
1996

St Victor

21

Ste Marie-Madeleine

22

Ste Brigitte

23

Ste Christine

24

St Jacques

25

Sts Anne & Joachim

26

Partir au lever du
jour, dans un champ
d'arnica, jusqu'à
la limite des glaciers...
les cristaux de roche
pareils aux séracs
des glaciers.

Michèle Delsaute

Ste Nathalie
27

St Samson
28

Ste Marthe
29

Ste Juliette
30

St Ignace de Loyola
31

St Alphonse de Liguori
1

« *L'été, l'oiseau cherche l'Oiselle ;*
Il aime – et n'aime qu'une fois !
Qu'il est doux, paisible et fidèle,
Le nid de l'Oiseau – dans les bois !. »

Gérard de Nerval

Rhododendrons,
raiponces, lys Martagon, joubarbes s'étendent à
perte de vue, abritant des colonies d'insectes.

St Julien Eymard & St Eusèbe de Verce

2

Ste Lydie

3

St J-M Vianney

4

St Abel

5

Transfiguration

6

St Gaëtan

7

Une poussière dorée
enveloppe un paysage
d'une harmonie parfaite.
C'est la Provence des plus chaudes
journées. Les cigales
chanteront jusqu'à
la tombée du jour.

St Dominique

8

Août

St Amour

9

St Laurent

10

Ste Claire

11

Ste Clarisse

12

St Hippolyte

13

Le 15 août, c'est la fête des Guides à Chamonix.

Restez toujours parmi nous avec votre grande gentillesse Monsieur Frison Roche

St Evrard

14

Assomption

15

St Armel

16

St Hyacinthe

17

Ste Hélène

18

St Jean Eudes

19

« _Moins de balbutiements sortent du nid sonore,_
Quand, au rayon d'été qui vient la réveiller,
L'hirondelle au plafond qui les abrite encore,
À ses petits sans plume apprend à gazouiller.. »

Alphonse de Lamartine

De gros pavots
en papier de soie
se sont éclos dès l'aube ; pourvu
que l'orage n'éclate pas
cette nuit !

Michèle Delsaute

St Bernard
20

Août

St Christophe
21

St Fabrice
22

Ste Rose de Lima
23

St Barthélemy
24

St Louis
25

« *Découvrir une chose, c'est la mettre à vif.* »

Georges Braque

Symphonie
de couleurs à Borme-
les- Mimosas.

Ste Natacha & St Césaire d'Arles

26

Ste Monique

27

St Augustin

28

Ste Sabine

29

St Fiacre

30

St Aristide

31

« Il n'y a que la pureté des moyens qui ordonne la pureté des œuvres. »

Pierre Reverdy

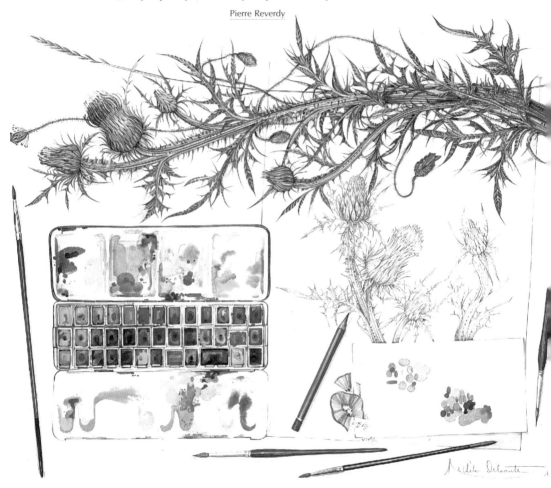

C'est la période des belles lumières de fin d'été : je dessine au jardin. Chardons bleus et coquerets.

St Gilles

1

Ste Ingrid

2

St Grégoire le Grand

3

Ste Rosalie

4

Ste Raïssa

5

St Bertrand

6

Au Montenvers, face aux
Grandes Jorasses, j'ai
trouvé les dernières
gentianes pourpres
de l'été et de grosses carlines
argentées.

Ste Reine

7

Nativité de la Vierge

8

« *De* mémoire de rose,
on n'a jamais vu
de mort d'un jardinier. »

Fontenelle

St Alain

9

Ste Inès

10

St Adelphe

11

St Apollinaire

12

« As-tu pour moi
  quelque message ?
Tu peux parler,
  je suis discret.
Ta verdure
  est-elle un secret ?
Ton parfum
  est-il un langage ?. »

Alfred de Musset

Toutes les fleurs
"montent" en graines.

St Aimé & St Jean Chrysostome

13

La Sainte Croix

14

St Roland. N.-D. des Douleurs

15

Ste Édith, St Corneille & St Cyprien

16

St Renaud

17

Ste Nadège

18

Des pieds de digitales
renaissent, frêles, délavés. La fraîcheur
des matins d'automne nous offre un deuxième printemps.

Michèle Delsaute

Ste Émilie

19

St Davy & Sts Martyrs de Corée

20

St Matthieu

21

St Maurice

22

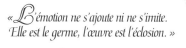

« *L'émotion ne s'ajoute ni ne s'imite.
Elle est le germe, l'œuvre est l'éclosion.* »

Georges Braque

CHANSON D'AUTOMNE

LES SANGLOTS LONGS
DES VIOLONS
DE L'AUTOMNE
BLESSENT MON CŒUR
D'UNE LANGUEUR
MONOTONE.

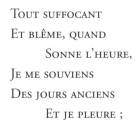

TOUT SUFFOCANT
ET BLÊME, QUAND
SONNE L'HEURE,
JE ME SOUVIENS
DES JOURS ANCIENS
ET JE PLEURE ;

ET JE M'EN VAIS
AU VENT MAUVAIS
QUI M'EMPORTE
DEÇÀ, DELÀ,
PAREIL À LA
FEUILLE MORTE.

Verlaine

Automne

23 SEPTEMBRE
21 DÉCEMBRE

Peu à peu, imperceptiblement, avec les premières gelées nocturnes, la forêt a changé de couleurs : les mélèzes deviennent dorés, les érables rouge cuivré. Des écharpes de brume s'accrochent le matin dans le fond des vallées.

Châtaignes, noix, pommes de toutes variétés côtoient sur les étals des marchés champignons, choux, courges, potirons et coloquintes de toutes les formes !

Les troupeaux redescendent des alpages, accompagnés du tintement des clarines et des sonnailles qui résonnent d'une vallée à l'autre dans l'air glacé du matin.

En montagne se succèdent les « combats de Reines », les fêtes du cidre.

De la Provence à l'Alsace, de la Bourgogne au Bordelais, les vignobles retentissent d'une joyeuse activité : c'est le temps des vendanges. Les pressoirs sont en route dans les petits villages et l'odeur du raisin s'échappe de toutes les caves.

Voici venu le temps des labours : des nuées de grosses corneilles suivent le tracteur dans le champ qui sent la terre fraîchement remuée.

On sème le blé, on plante les bulbes et également les arbres fruitiers.

C'est le moment d'installer les mangeoires pour les oiseaux. Graines de tournesols et arachides les aideront à passer l'hiver.

Laissez-vous aller au calme des longues promenades matinales dans les sous-bois humides pour récolter les champignons.

Les jours raccourcissent, et les premiers marchés de Noël sont annoncés dans les villages provençaux qui ressemblent eux-mêmes à des crèches… Une certaine ambiance de fête flotte déjà dans l'air quand tombe la nuit.

Dans le nord-est de la France, en Lorraine, en Alsace et en Belgique, l'arrivée de Saint Nicolas est très attendue par tous les enfants : jouets et pâtes d'amandes (massepains) seront déposés dans la cheminée le matin du 6 décembre.

Lorsque nous
descendons de nos
montagnes par
Luce-la–Croix-Haute, Serre
et Sisteron, nous trouvons à
cette époque
les boules bleues des
chardons et les fruits
écarlates des chèvrefeuilles.

Michèle Delsaute

Septembre

St Constant. Équinoxe d'Automne
23

Ste Thècle
24

St Hermann
25

Sts Côme & Damien
26

St Vincent de Paul
27

« *Arrête-toi instant,
tu es si beau.* »

Goethe

St Venceslas
28

Artichau
et coquere
une symphon
d'automn

Sts Archanges Michel, Gabriel & Raphaël

29

Septembre

St Jérôme

30

« *Puis quand vient l'automne brumeuse,*
Il se tait… avant les temps froids.
Hélàs ! Quelle doit être heureuse
La mort de l'Oiseau – dans les bois. »

Gérard de Nerval

Ste Thérèse de l'Enfant Jésus

1

Octobre

St Léger. Sts Anges gardiens

2

St Gérard

3

St François d'Assise

4

« …Et que j'aime ô saison, que j'aime tes rumeurs
  Les fruits tombant sans qu'on les cueille
  Le vent et la forêt qui pleure
  Toutes leurs larmes en automne feuille à feuille… »

Guillaume Apollinaire

Ste Fleur
5

Octobre

St Bruno
6

St Serge. N-D du Rosaire
7

Ste Pélagie
8

St Denis
9

St Ghislain
10

Au jardin,
pendant que
je peins,
les mésanges de
plus en plus familières
tournoient d'une tête
de tournesol à l'autre.

Octobre

St Firmin
11

St Wilfried
12

St Géraud
13

St Juste
14

LES FLEURS
– Fera-t-il soleil aujourd'hui ?
LE TOURNESOL
– Oui, si je veux.

Jules Renard

Ste Thérèse d'Avila
15

Ste Edwige
16

Ramasser les feuilles
mortes, les dessiner :
Un parfum de l'enfance
retrouvé un après-midi
d'octobre en regardant
tomber la pluie par
la fenêtre de la
petite école.

Après une grosse
averse, le plaisir
de ramasser feuilles
et marrons aux cou-
leurs magnifiques.

Michèle Delsaute

St Baudouin & St Ignace d'Antioche

17

Octobre

St Luc

18

St René

19

Ste Adeline

20

Ste Céline

21

Ste Élodie

22

« Bientôt nous plongerons dans les froides ténèbres ;
Adieu, vive clarté de nos étés trop courts !
J'entends déjà tomber avec des chocs funèbres
Le bois retentissant sur le pavé du cours. »

Charles Baudelaire

L'odeur des sous-bois, des mousses, des lichens et la magie des champignons nés en une nuit ! Mais attention ! les plus jolis sont souvent les plus toxiques !

Michèle Delsaute

St Jean de Capistran

23

Octobre

St Florentin

24

St Crépin

25

St Dimitri

26

Ste Émeline

27

Sts Simon & Jude

28

Tout l'après-midi, avec les enfants, nous avons planté des bulbes : narcisses, jonquilles, jacinthes, muscaris, crocus...

Michèle Delsaute

St Narcisse

29

Octobre

Ste Bienvenue

30

St Quentin

31

« *Tous les gestes engagent ;
surtout les gestes généreux.* »

Roger Martin du Gard

Toussaint

1

Novembre

Défunts

2

St Hubert

3

Nos pommes
sont enfin mûres !
Chaque matin, le merle
fait un vrai festin dans le pommier.

Je ne cueillerai pas
les derniers fruits,
il a l'air si heureux !

Michèle Delsaute

St Charles Borromée

4

Novembre

Ste Sylvie

5

Ste Bertille

6

Ste Carine

7

St Geoffroy

8

St Théodore

9

«Souvenir, souvenir, que me veux-tu ? L'automne
Faisait voler la grive à travers l'air atone,
Et le soleil dardait un rayon monotone
Sur le bois jaunissant où la bise détone. »

Paul Verlaine

J'ai cueilli les
dernières fleurs
d'hortensias pour les faire
sécher. Elles étaient déjà givrées !

Michèle Delsaute

Novembre

St Léon le Grand
10

St Martin de Tours. Armistice 1918
11

St Christian & St Josaphat
12

St Brice
13

St Sidoine
14

St Albert le Grand
15

«Salut, bois couronnés d'un reste de verdure !
Feuillages jaunissants sur les gazons épars !
Salut, derniers beaux jours ! le deuil de la nature
Convient à la douleur et plaît à mes regards. »

Lamartine

L'écureuil
ramasse
les dernières noisettes, les pommes de pin, et même les graines de tournesol des mésanges !

Michèle Delsaute

Ste Marguerite d'Écosse

16

Ste Élisabeth de Hongrie

17

Ste Aude

18

St Tanguy

19

St Edmond

20

Présentation de la Vierge

21

Novembre

Voici le temps
des marchés
de Noël.
Sur la
cheminée, « le Coup
de Mistral » de Paul et Mireille Fouque
a trouvé sa place, témoin de la grande tradition des santonniers.

Michèle Delsaute

Ste Cécile
22

St Clément
23

Novembre

Ste Flora & St André Dung-Lac
24

Ste Catherine Labouré
25

Ste Delphine
26

St Séverin
27

Nos amis Michel et Martine Savornin ont choisi cette semaine pour cueillir leurs olives, à Ventabren. Quelle ambiance, à la tombée du jour, dans les moulins à huile !

Michèle Delsaute

St Jacques de la Marche

28

Novembre

St Saturnin

29

St André

30

« *Regardez cette lumière dans les oliviers, ça brille comme du diamant.* »

Auguste Renoir

Ste Florence

1

Décembre

Ste Viviane

2

St François Xavier

3

Titouan
et Florence
vont dans la
forêt chercher
de la mousse et des
branches d'aulnes très
flexibles pour fabriquer des couronnes
qui orneront la façade du chalet. Quelques pommes, des noix, des carlines feront l'affaire pour la décoration : le gel fera le reste !

Décembre

Ste Barbara
4

St Gérald
5

St Nicolas
6

St Ambroise
7

Immaculée Conception
8

« *A*ucune nature n'est inférieure à l'art,
car les arts ne sont que
des imitations de la
nature. »

Marc-Aurèle

St Pierre Fourier
9

Voici la neige, tous les oiseaux de la forêt se sont donnés rendez-vous au jardin.

St Romaric

10

Décembre

St Daniel

11

« *Le signe des mouchoirs
qui se perd dans les nuages
Aux ailes des oiseaux
fait ressembler le lin.* »

Robert Desnos

Ste Jeanne-Françoise de Chantal

12

Ste Lucie

13

Ste Odile & St Jean de la Croix

14

Ste Ninon

15

«En décembre,
en couvrant le sol,
la neige donne le
goût du blanc.»

Alexandre Vialatte

Houx, Gui, Fragon.

Michèle Delsaute

Ste Alice

16

Décembre

St Gaël

17

St Gatien

18

St Urbain

19

Sts Abraham, Isaac & Jacob. St Théophile

20

St Pierre Canisius

21

– ENTREZ, LA NEIGE, ENTREZ, LA DAME,
AVEC VOS PÉTALES DE LYS
ET SEMEZ-LES PAR LE TAUDIS
JUSQUE DANS L'ÂTRE OÙ VIT LA FLAMME.

Émile Verhaeren

Hiver

22 DÉCEMBRE
19 MARS

Dans toutes les oliveraies règne une vraie effervescence. Les échelles à trépieds sont posées d'arbre en arbre : on "cueille" les olives, fruit sacré depuis l'Antiquité !. Les moulins travaillent sans répit dans une chaleur moite. L'huile nouvelle coule, dorée, fruitée, alchimie du bruit du vent dans les feuilles argentées, du soleil, des senteurs de la terre et du chant des cigales.

Dans le Var, on récolte les arbouses ; chaque rameau a la caractéristique de porter simultanément fleurs blanches et fruits pourpres. les arbousiers émergent de superbes tapis de bruyères qui s'étendent en vagues jusqu'à l'infini.

En montagne, on farte avec application skis et surfs avec des rêves de grands espaces et d'aventure !

Les enfants coupent dans la forêt et au bord des ruisseaux des branches souples de saules pour faire des couronnes de l'Avent. Pommes de pins, clous de girofle, fleurs séchées, lichens et mousses y seront insérés.

Lorsqu'arrivent les premières nuits de gel, il se produit de nombreuses pluies d'étoiles filantes : décembre est le mois le plus propice à l'obsevation des astres.

Dans chaque foyer, on prépare Noël : la fabrication méticuleuse des sept desserts ne se fait pas en un jour !

Le choix et la décoration du sapin de Noël est mis sous la responsabilité des enfants ainsi que la disposition de la crèche.

En Alsace, c'est l'apothéose des marchés de Noël : bretzels enrubannés, kœgelhoph couverts d'amandes côtoient les boules de verre aux mille reflets.

En Provence, le berger reste un des acteurs principaux de la messe de Noël ; dans de nombreux villages, la messe de minuit est accompagnée de la cérémonie du Pastrage sur un fond de chants de Noël traditionnels. Dans tous les villages de France, la plus belle nuit de l'année commence !

Olivier de Haussur ... Afrillis

Nathile Debauts

En janvier, la fête les Rois ravira tous les gourmands : suivant les régions de France, la galette prendra formes et arômes divers !

C'est le mois de "la poudreuse" des grands froids secs et des ombres bleutées. Tous les massifs montagneux sont pris d'assaut par les amateurs de "glisse".

« Si l'herbe en janvier déjà pousse, le reste de l'an ne sera que mousse. »

Février : le travail reprend au potager. On plante aulx, échalotes et l'on commence à tailler les abricotiers sous le regard des amandiers en fleurs !

Dans le Sud, c'est une orgie de mimosas aux grappes farineuses qui recouvrent toutes les collines.

Avec le mois de mars apparaissent les premiers jours de douceur : le temps devient capricieux, les giboulées nous surprennent alors que les premières violettes et petites primevères émaillent les gazons jaunis… les premiers agneaux sont nés, la nature émerge de son grand sommeil hivernal !

« *Les vases ont des fleurs de givre,*
Sous la charmille aux blancs réseaux ;
Et sur la neige on voit se suivre
Les pas étoilés des oiseaux. »

Théophile Gauthier

Le temps est venu de choisir
un beau sapin qui partagera
votre Noël.

Décembre

Ste Françoise-Xavière, Solstice d'Hiver
22

St Armand
23

Ste Adèle
24

Noël
25

St Étienne
26

St Jean
27

Noël !

Michèle Delsaute

Saints Innocents

28

Décembre

St David

29

St Roger

30

St Sylvestre

31

Jour de l'An

1

Janvier

St Basile

2

« De bon matin,
j'ai rencontré le train,
de trois rois mages
qui partaient en voyage…. »

L'Épiphanie :
la fête des Rois !

Ste Geneviève

3

St Odilon

4

Janvier

St Édouard

5

St Mélaine

6

St Raymond

7

St Lucien

8

Paysage de neige
au pied du Dru.

Ste Alix
9

Janvier

St Guillaume
10

St Paulin
11

Ste Tatiana
12

Ste Yvette
13

Ste Nina
14

St Rémi
15

janvier

St Marcel
16

Ste Roseline & St Antoine
17

« *Qui comprend
invente.* »

Louis Scutenaire

Ste Prisca
18

St Marius
19

Sts Fabien & Sébastien
20

Michèle Delsaute

Janvier

St Agnès
21

St Vincent
22

St Barnard
23

St François de Sales
24

Conversion de St Paul
25

« *L'oiseau s'en va, la feuille tombe*
L'amour s'éteint, car c'est l'hiver.
Petit oiseau, viens sur ma tombe
Chanter, quand l'arbre sera vert.»

Théophile Gautier

Ste Paule, Sts Timothée et Tite
26

« *C'est une branche avec trois fleurs : la branche est couleur de neige, les fleurs aussi : les fleurs ont la tête en bas, la branche aussi, tout est en perle et ne tient nulle part. Si ! cela tient à un bandeau, un bandeau de front qui est blanc et qui sourit.* »

Max Jacob

Les hellébores noirs
ou roses
de Noël
mèlent leurs
pétales nacrés
au blanc de la neige.

Ste Angèle
27
Janvier

St Thomas d'Aquin
28

St Gildas
29

Ste Martine
30

Ste Marcelle et St Jean Bosco
21

Ste Ella
1
Février

Taches jaunes au bord des talus, les premières
tussilages ont fait éclater de petits soleils d'or.

Michèle Delsaute

Présentation
2

St Blaise
3

Ste Véronique
4

Ste Agathe
5

St Gaston
6

Ste Eugénie
7

Février

« *La fleur est le regard
riant de la ruine.* »

Pierre-Jean Jouve

Plantés cet automne, les crocus jaillissent en touches lumineuses dans l'herbe encore jaunie des pelouses.

Michèle Delsaute

Ste Jacqueline
8

Février

Ste Apolline
9

St Arnaud & Ste Scholastique
10

Notre-Dame de Lourdes. Journée des malades
11

St Félix
12

Ste Béatrice
13

Un bouquet
de jonquilles
et de frésias
parfume la maison
d'une bouffée
de printemps.

Michèle Delsaute

Février

St Valentin, Sts Cyrille & Méthode
14

St Claude
15

Ste Julienne
16

St Alexis
17

Ste Bernadette
18

« La beauté
rend toujours
la vertu
plus aimable. »

Virgile

St Gabin
19

«Si Dieu n'avait fait la femme,
Il n'aurait pas fait la fleur. »

Victor Hugo

Les grappes farineuses de
mimosas diffusent leur
chaude fragrance sur toutes les collines qui bordent la Méditerranée.

Michèle Delsaute

Ste Aimée
20

St Pierre Damien
21

Ste Isabelle. Chaire de St-Pierre
22

St Lazare & St Polycarpe
23

St Modeste
24

St Roméo
25

Février

Les premiers
bourgeons du jardin
semblent vernis sous les
giboulées de printemps.

Michèle Delsaute

St Nestor
26

Février

Ste Honorine
27

St Romain
28

St Auguste
29

« *Un épi, c'est à la fois la chose la plus naturelle et la chance la plus impossible.* »

Jean-Paul Sartre

St Aubin
1

Mars

St Charles le Bon
2

Chatons, jonquilles.

Michèle Dutsaute

St Guénolé

3

Mars

St Casimir

4

St Olive

5

Ste Colette

6

Stes Félicité & Perpétue

7

St Jean de Dieu

8

« L'amour, c'est l'espace et le temps
rendus sensibles au cœur. »

Marcel Proust

Le bleu de Delft des Muscaris annonce
la retraite définitive de l'hiver.

Michèle Delsaute

Ste Françoise Romaine

9

Mars

St Vivien

10

Ste Rosine

11

Ste Justine

12

St Rodrigue

13

Ste Mathilde

14

Oliviers argentés, romarins
en fleurs, cistes de la
chapelle d'Eygalières,
c'est le réveil de la nature.

Michèle Delsaute

Ste Louise

15

Ste Bénédicte

16

St Patrice

17

St Cyrille de Jérusalem

18

St Joseph

19

Mars

« Qui n'a cru respirer,
        dans la fleur renaissante,
Les parfums regrettés
        de ses premiers printemps. »

Marceline Desbordes-Valmore

Achevé d'imprimer en février 2002
sur les presses de l'imprimerie Grafiche Zanini à Bologne, en Italie.
Photogravure Quadriscan, à La Brillanne, dans les Alpes-de-Haute-Provence.

Deuxième édition

Magic plants

Toutefois – however

tenter – to attempt

il s'agit de – it is about

englobe – include

cerner – define – surround

confiance – trust

d'autant – so much/many

à part – separately

peut-être – sometimes

rien – not

alors – at that time/then

être censer faire – to be supposed to do

pourtant – yet

un adepte – follows

ainsi que – just (as)

païen – pagan

lorsque – when/as

le but – goal

d'ailleurs – moreover/besides

païen – pagan

tout à fait – absolutely

constater – note/certify

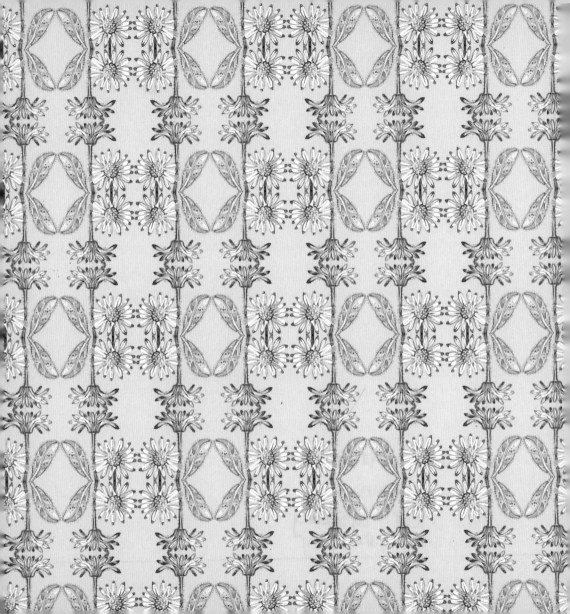